nul poisson où aller

texte *Marie-Francine Hébert*

illustrations *Janice Nadeau*

Le pot aux rêves

Qu'y a-t-il dans le pot
Ni trop grand ni trop petit
Chaque jour différent
De la taille suffisante
Pour y mettre ce qu'on veut
Selon les circonstances
Y trouver ce qu'on peut
Cela vous convient-il?

À tous ceux, petits et grands,
qui travaillent à élever
le niveau d'âme
dans le grand pot de la vie.

M.-F. H.

À René et Arlette

J. N.

Les 400 coups   Les grands albums

Des rumeurs de voyage flottaient dans la maison.
Un voyage ? Depuis le temps que Zolfe en rêvait !
Fugaces au début, les rumeurs. Des pattes de mots
échappés de la chambre des parents. Partir, quitter,
des mots qui, la nuit venue, grignotaient le silence.
De plus en plus insistantes, les rumeurs. Des phrases
entières voletant autour de l'oreille comme alentour
d'un nid :
   — Il faudra bien se décider…
   — Rapidement…
   — Pour aller où…

C'était soit trop près : chez les parents, chez les amis. Zolfe le pensait aussi ; il s'agit alors d'une visite et non d'un voyage, un vrai comme dans les livres.

Soit trop loin :

— Ce serait dépaysant pour les enfants…

— Et nous n'avons pas les moyens.

La destination : tout le problème était là.

Il suffisait pourtant d'allumer le globe terrestre. Tous ces pays dont les couleurs s'avivaient, ces contrées si souvent parcourues du doigt ! Impossible pour Zolfe d'en proposer une seule à ses parents sans se faire accuser d'écouter aux portes. Et risquer de gâcher la surprise qu'ils voulaient offrir à leurs enfants.

– Il faudra voyager discrètement…

– … avec le strict nécessaire.

Ah! partir à l'aventure, sac au dos! Encore fallait-il départager le nécessaire du superflu. Le nécessaire de Zolfe risquait de paraître superflu aux yeux de ses parents. Et vice versa. Elle finit par convenir d'un bagage acceptable pour tous. «D'abord, *Le pot aux rêves*, mon livre préféré.»

C'est Lüll, une jeune fille
bien ordinaire, qui découvre,
un bon matin au pied de son
lit, un vase extraordinaire.
Des flancs somptueux, un col
solennel, tout laisse croire
que son contenu est précieux.
«M. Fée, le potier, te l'aura
apporté», déclarent ses
parents sans s'en soucier
davantage, et ils laissent
Lüll à son pot et retournent
à leur ouvrage. Comme si
chacun trouvait le sien un bon
matin au pied de son lit.

«Quoi d'autre? Un bloc pour dessiner, des crayons de couleur, ma robe rouge… Mon imper; papa sera content. Des sous-vêtements de rechange et ma brosse à dents; maman sera contente.»

Quant à Émil…

— Je ne pourrai pas t'emmener avec moi, mon poisson.

Émil, son poisson adoré, cueilli dans la rivière par grand-maman et offert à Zolfe pour son anniversaire. Dans un aquarium garni de rocaille au milieu de laquelle poussait une plante aquatique. Un écosystème, avait expliqué grand-maman. Un monde, en quelque sorte, s'était dit Zolfe. L'univers d'Émil, tout entier contenu dans un pot.

— Es-tu certaine de pouvoir t'en occuper?

— Oh oui! grand-maman.

— Ce n'est pas un jouet, mais un être vivant. Tu en es l'unique responsable!

— Je sais. Il faut en prendre bien soin, le nourrir tous les jours, pas trop, juste assez.

Exactement comme les souvenirs. Le précieux souvenir de son grand-papa, entre autres. Il fallait en prendre bien soin, le nourrir tous les jours, pas trop, juste assez. Aussi Zolfe donna-t-elle à poisson le prénom de son regretté grand-père.

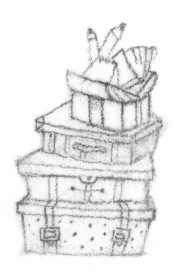

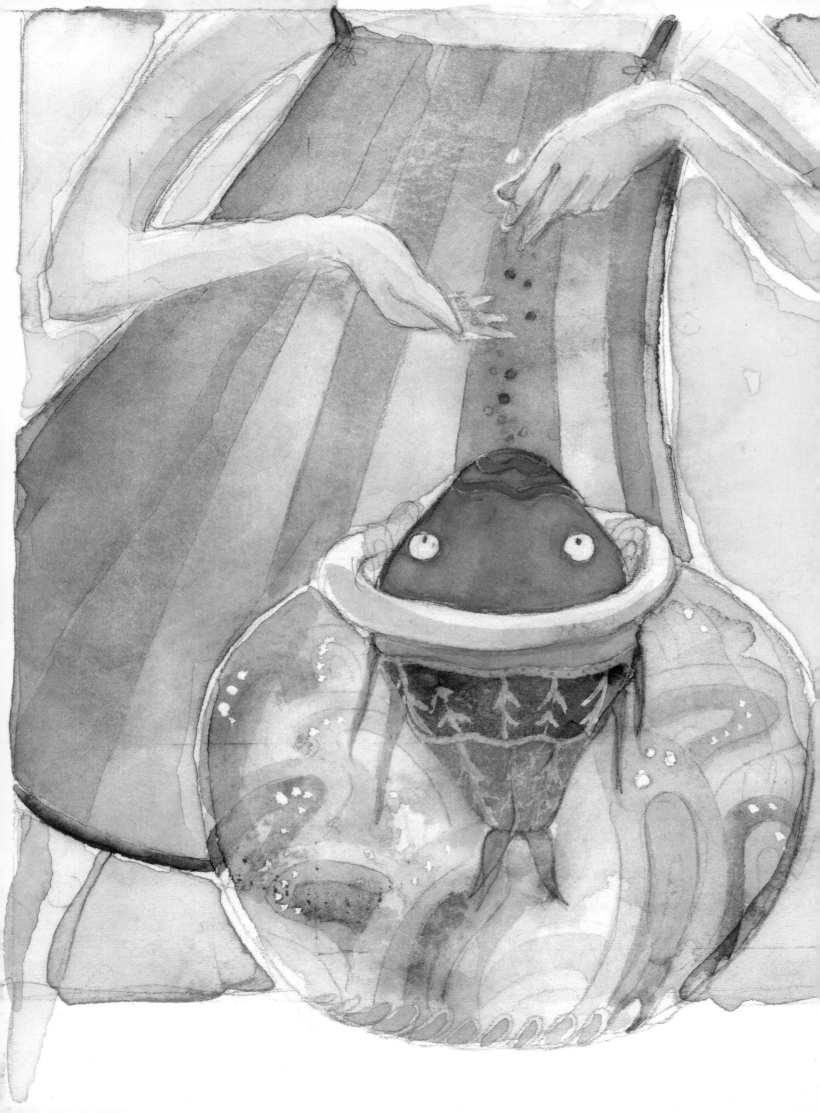

Maiy s'occuperait d'Émil pendant l'absence de Zolfe.
On pouvait faire confiance à Maiy. Sa grande amie Maiy, celle
qui lui avait offert *Le pot aux rêves*… «… un vase extraordinaire…
Comme si chacun trouvait le sien… au pied de son lit.»

Faut-il tant languir autour du pot ? Lüll plonge la main dans un col trop étroit pour qu'on puisse y distinguer quoi que ce soit.

Oh ! doux, si doux, une caresse… de la soie. Du vase Lüll l'en sort. Dans un grand frou-frou, une robe se déploie. De princesse, assurément. À sa taille précisément.

Comme un drapeau, Lüll la porte tout le jour durant. Un grand éclat de rouge, couleur du cœur et de la joie. Merci, monsieur le potier !

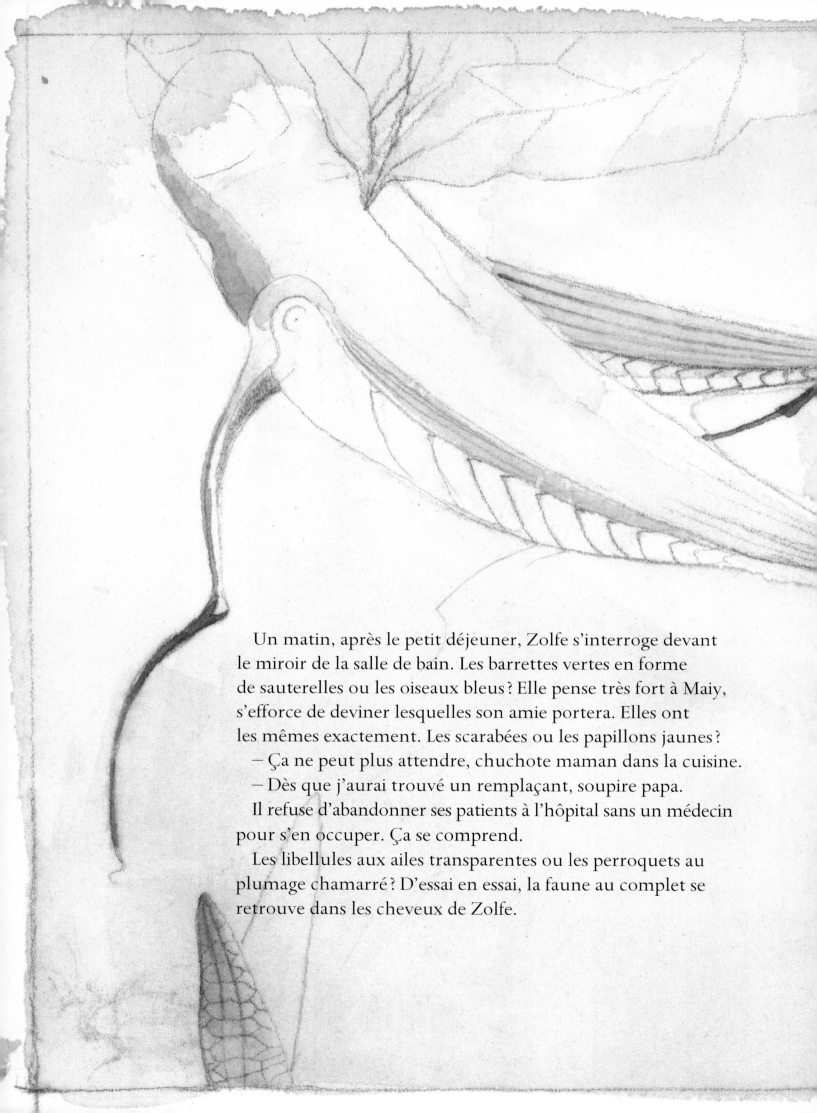

Un matin, après le petit déjeuner, Zolfe s'interroge devant le miroir de la salle de bain. Les barrettes vertes en forme de sauterelles ou les oiseaux bleus? Elle pense très fort à Maiy, s'efforce de deviner lesquelles son amie portera. Elles ont les mêmes exactement. Les scarabées ou les papillons jaunes?

— Ça ne peut plus attendre, chuchote maman dans la cuisine.

— Dès que j'aurai trouvé un remplaçant, soupire papa.

Il refuse d'abandonner ses patients à l'hôpital sans un médecin pour s'en occuper. Ça se comprend.

Les libellules aux ailes transparentes ou les perroquets au plumage chamarré? D'essai en essai, la faune au complet se retrouve dans les cheveux de Zolfe.

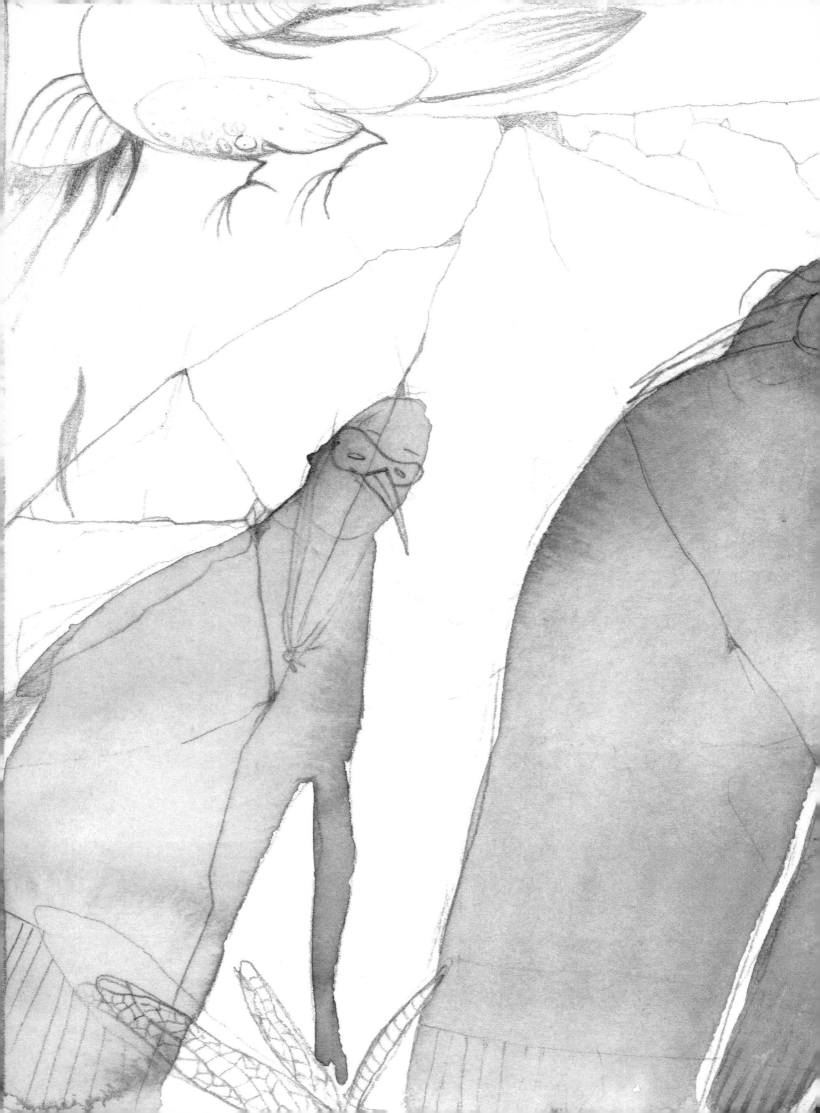

Soudain, il y a un de ces tapages sur le perron. On frappe à grands coups dans la porte. La chevelure de Zolfe tressaille, multicolore. Bientôt la porte cède : les murs de la maison en tremblent et la lumière se fracasse sur le visage de Zolfe. Oh non ! voilà le beau miroir de maman tout craquelé.

Trois hommes masqués font irruption dans la cuisine. Avec leurs souliers boueux. Sans le moindre souci pour le plancher tout propre de papa qui demande :

— Qu'est-ce que vous voulez.

Sans point d'interrogation. Rien. Ce n'est pas une question.

De l'intérieur des blousons importuns, jaillissent trois fusils.

— Vous avez deux minutes pour quitter les lieux.

Ce n'est pas une réponse. C'est un point final. Les intrus n'auront qu'à agiter la bouche de leurs fusils à la figure des assiégés pour le leur rappeler.

On dirait des fusils de cinéma et des masques de carnaval. C'est pour rire, voudrait croire Zolfe.

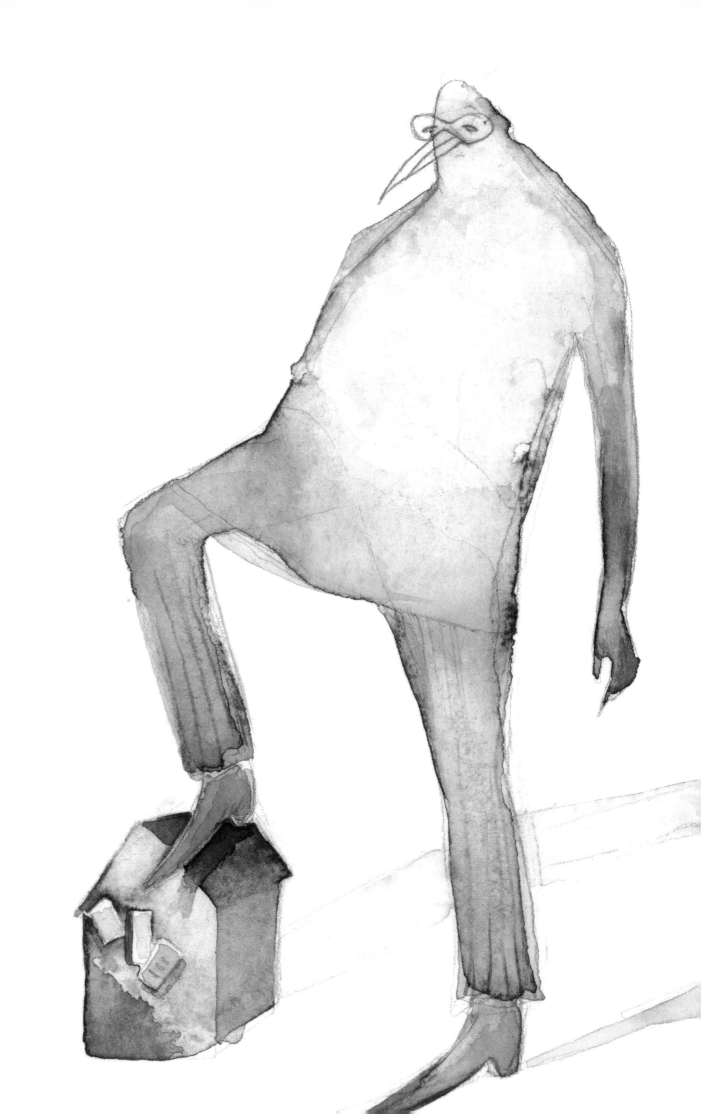

Papa ne rit pas, maman non plus, tout occupés à faire redémarrer leur cerveau. Grand-frère a tenté de fuir si vite qu'il en a oublié son corps sur place. Bébé, lui, en profite pour mettre les doigts dans sa purée.

Zolfe reste figée sur place, elle n'a aucune idée qui puisse s'accorder avec la situation. Aucun geste, aucun mot. Comme dans un mauvais rêve, alors qu'on voudrait s'enfuir, mais qu'on ignore de quel lieu. Qu'on ouvre la bouche en quête d'une réponse dont la question reste introuvable. Qu'affolé, on cherche la sortie dans le regard de l'autre… Mais papa retourne les tiroirs du buffet à la recherche de papiers d'identité et d'argent liquide. Maman fourre toute la nourriture qu'elle peut dans son baluchon. Grand-frère se cherche quelque part au fond de lui. Et bébé nage dans la purée.

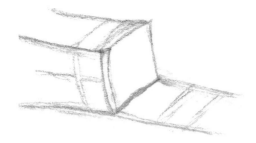

S'agitent à nouveau les fusils.

— Vous êtes sourds ? Grouillez-vous ! Fichez le camp !

La langue est d'ici. Les mots sont connus, les voix familières, mais armées jusqu'aux dents. Qu'est-ce qui leur prend ? L'un des intrus ressemble étrangement à... Ce n'est pas possible. Zolfe scrute à la dérobée les trous du masque de l'homme. S'il pouvait soulever les paupières un instant ; mais non, son regard reste braqué sur son fusil comme s'il s'agissait d'une bête féroce retenue par une laisse de fortune. Impossible, ça ne peut pas être le papa de Maiy. Il est si gentil, drôle, poli et tout. Alors, qui est-ce ?

— Vite ! Vite ! ordonne papa à Zolfe.

— Ce n'est pas le moment d'être coquette, supplie maman.

Zolfe court à sa chambre. Pas le temps de remplir son sac à dos. Pas assez de deux bras pour transporter le nécessaire. Juste quelques secondes pour saisir la nuance entre le nécessaire et l'essentiel. Son livre préféré ? Elle en connaît l'histoire par cœur et ses images sont imprimées à tout jamais dans sa mémoire. « ... une robe se déploie... couleur du cœur et de la joie. »

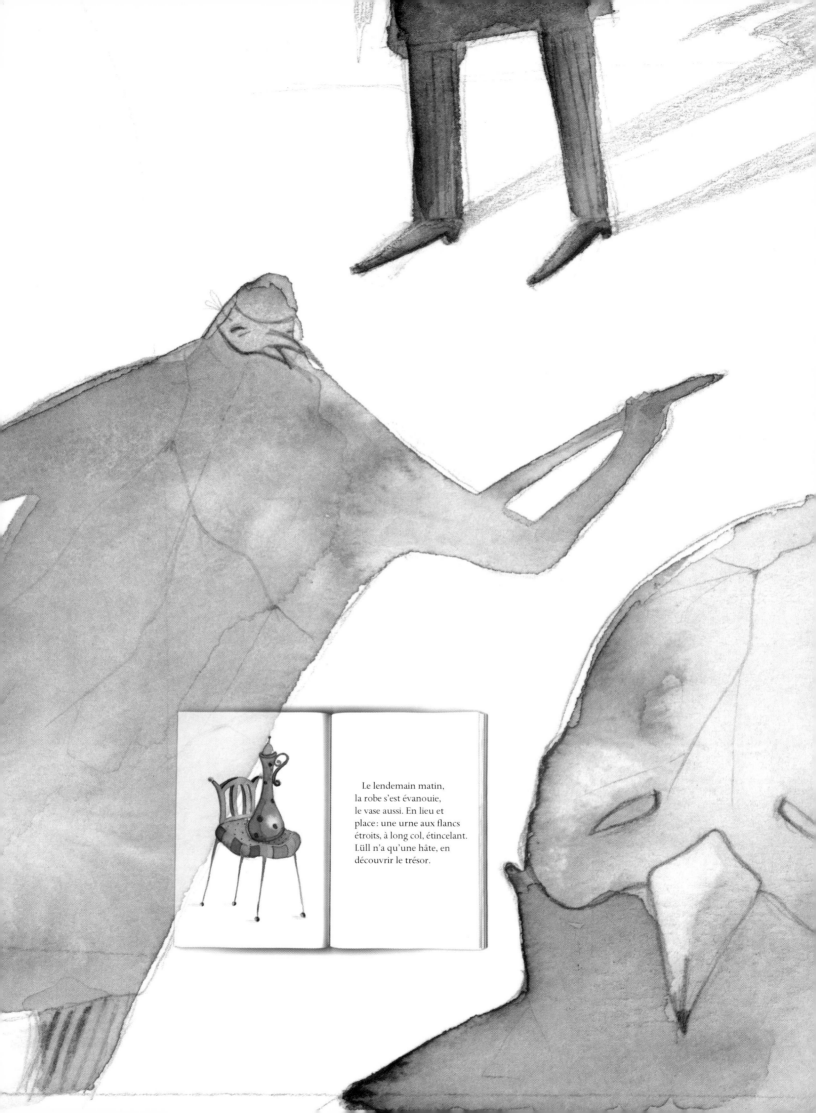

Le lendemain matin,
la robe s'est évanouie,
le vase aussi. En lieu et
place : une urne aux flancs
étroits, à long col, étincelant.
Lüll n'a qu'une hâte, en
découvrir le trésor.

Son bloc à dessin et ses crayons de couleur? Tant pis! Elle peut toujours dessiner sur le sol avec une branche, ou en l'air avec son doigt, n'importe quoi. À la limite, dans sa tête. Dans sa tête, elle pourra toujours, avec toutes les couleurs possibles et imaginables. Sa robe rouge? Dommage. Mais pas question de laisser Émil derrière.

Maman trouvera à redire, papa aussi. Les hommes masqués, à médire. Zolfe s'attend au pire. Sa détermination pour unique bagage, elle sort de sa chambre. Personne ne porte attention à elle, encore moins à l'univers qu'elle transporte dans ses bras. Tout le monde a l'esprit ailleurs. Où donc?

Au sortir de la maison, deux hommes entraînent papa et grand-frère dans le boisé d'à côté. Pourquoi? Que va-t-il leur arriver? Bébé réclame sa purée à grands pleurs dans les bras de maman dont l'attention reste fixée à l'endroit où ils ont disparu.

— Circulez! Circulez! répète d'une voix empruntée — à qui? — le troisième homme qui ne peut pas être le papa de Maiy.

Zolfe et sa mère se laissent porter par le flot inhabituel de femmes, d'enfants et de vieillards dans la rue. Ils sont méconnaissables. Tous marchent dans la même direction, à côté de leurs souliers, on dirait. Où va-t-on. Où va-t-on. Certains même sans souliers, oubliés dans leur hâte. Sans rien à mettre derrière leurs yeux, eux non plus.

« … une urne aux flancs étroits… en découvrir le trésor. »

Un bâton? Que dis-je, une
baguette! En or. Magique,
sans aucun doute. Tout
le jour, Lüll y va d'un coup
de baguette par-ci, d'un
coup de baguette par-là,
se faisant tour à tour oiseau,
coccinelle, papillon, scarabée,
libellule ou perroquet.
Tant de magie pour le plaisir
évidemment. Oui, oui,
merci, monsieur le potier.

Soudain une détonation perce les oreilles, laissant un grand trou de silence dans la tête. La rue s'immobilise, la campagne avoisinante, le ciel, tout. Même les feuilles restent coites sur leurs branches. Les oiseaux retiennent leur souffle au faîte des arbres, les ailes rabattues sur leur cœur qui bat trop fort. Si ce n'était du ballottement dont l'univers d'Émil est captif, on croirait que le temps s'est arrêté.

— Qu'est-ce que c'est ? demande Zolfe.

On dirait des coups de fusil. Comme au cinéma. Une odeur de feux de Bengale ou de pétards — comment savoir — parvient à leurs narines.

— Ce n'est rien…, finit par répondre maman.

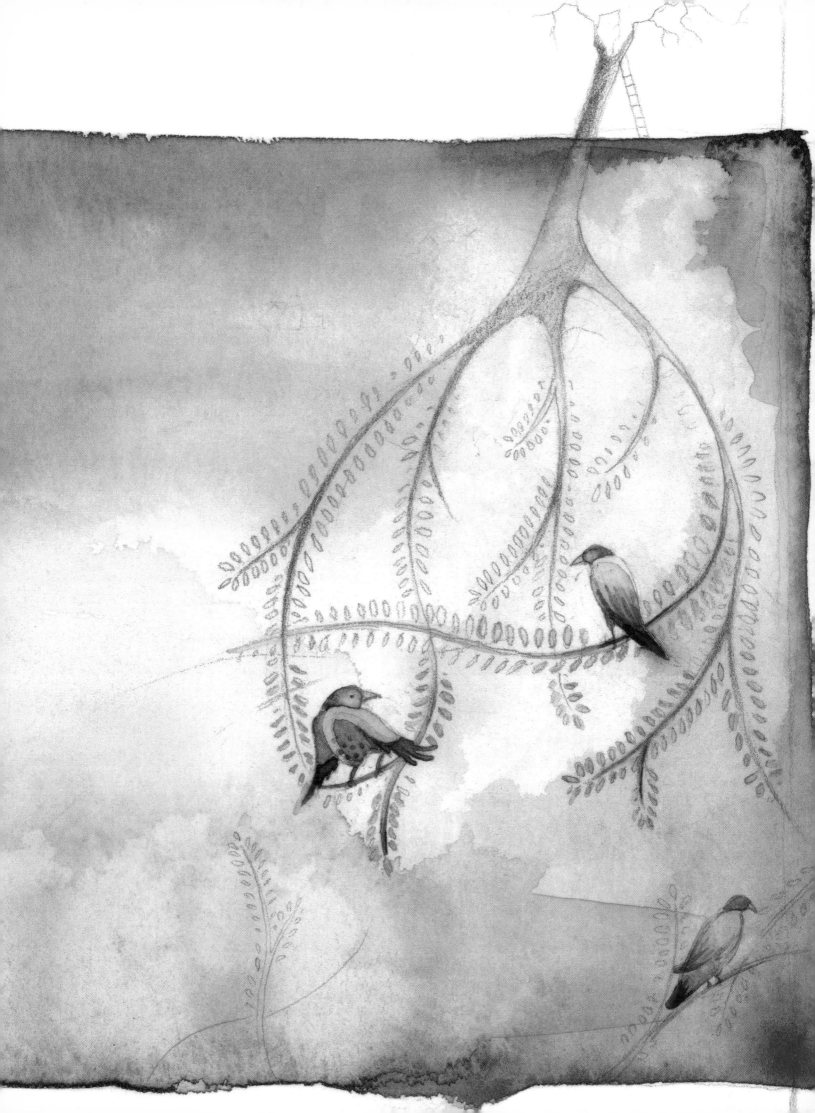

Pourquoi sa voix perche-t-elle si haut dans
sa tête, alors? Pourquoi cherche-t-elle son souffle,
ses bras rabattus sur bébé qui en oublie sa purée?
Pourquoi son attention semble-t-elle perdue
dans le boisé de la disparition?

Zolfe enserre l'univers d'Émil dont le cœur, à
n'en pas douter, clapote sous la plante aquatique.

D'autres voix – empruntées à qui? – fusent
ici et là, le long de la route:

— Circulez! Circulez!

Zolfe reconnaît l'épicier, le pharmacien,
un voisin sous leur masque improvisé. Un fichu
couvrant le bas du visage. Elle «reconnaît»,
façon de parler. Leur corps est bien là, mais
un envahisseur l'aura visité pendant la nuit.
Vidant l'épicier de son rire moqueur, le pharmacien
de sa sollicitude, le voisin de sa gentillesse. Ce sont
bien leurs mains qui tiennent le fusil, mais
l'envahisseur l'aura chargé pendant la nuit.
Et les voilà, le cerveau mal boutonné, cramponnés
à une bête indomptée.

— Circulez!

La horde s'ébranle à nouveau. Dans le cachot à ciel ouvert
qui avance, nul bruit, hormis le froissement des habits,
le raclement des pas sur le sol. Nulle conversation, hormis
les questions jaillies de la bouche des enfants : Où va-t-on ?
Où va-t-on ? vite ramassées par leurs mamans. Surtout,
ne rien laisser traîner, garder tout bien rangé dans sa tête.
Car le moindre mot, le moindre point d'interrogation,
le moindre pleur échappé risque de provoquer l'une ou
l'autre bête à l'affût.

Le lendemain, baguette et
récipient ont disparu comme
par enchantement. Posé là, un
pot joufflu, semblant tout droit
sorti de l'eau. Vite, vite! allons
voir ce qu'il contient.

L'univers d'Émil commence à peser lourd dans les bras de Zolfe. Lourd de tant de fragilité. Frêle univers contre lequel la houle humaine vient battre, au fur et à mesure que des miroirs se fracassent dans d'autres maisons. Comment maintenir la flottaison ? Limiter les contrecoups dans l'eau captive ? Conserver la bonne étreinte des bras ? Nulle défaillance n'est permise.

Impossible de chercher refuge chez les parents et les amis, leur maison est vide, abandonnée elle aussi en vitesse. Ou alors les rideaux sont tirés et clos les volets. En plein jour.

Voilà enfin la maison de Maiy ! Quelqu'un apparaît derrière la fenêtre du salon. C'est elle ! Zolfe sort du rang.

— Maiy, je t'apporte mon pois…

Surgit la maman de Maiy, qui tire les rideaux. Ce n'est pas le moment. La main de maman se referme sur le bras de Zolfe, qui ramène sa fille à l'ordre. De quel ordre parlons-nous au juste ? Juste pour qui ? Ne te fais pas remarquer, implore maman d'une pression des doigts.

Dans le creux de la vague qui a failli le projeter hors de l'eau, Émil frissonne. De quel vent de malheur, de quel courant insidieux, de quelle dérive est-il le jouet ? Cette main qui le nourrit, ces bras qui le portent sont-ils tout-puissants ? Cet esprit qui le gouverne est-il infaillible ?

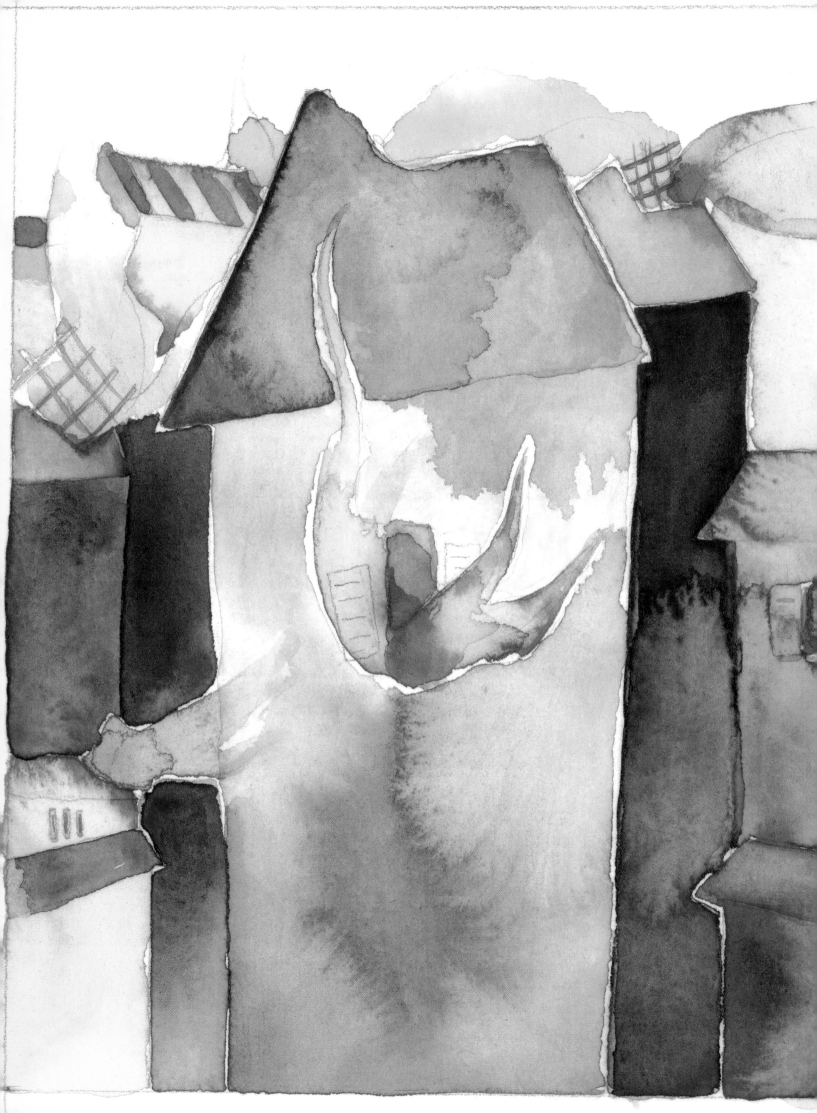

Un brasier là-bas! N'est-ce pas leur école qui brûle? Des cris étouffés. Quelqu'un s'enfuit. Le directeur de l'école? Aussitôt pris en chasse par une bête entraînant à sa suite son maître, à la laisse attaché. Elle court, elle court, la bête, hors de contrôle, son maître derrière elle, hors de lui. Le fuyard est rattrapé. Bang! tu meurs. Il tombe. C'est pour jouer. Il se relèvera. Ce sont des grands qui jouent à la guerre. La preuve? Toutes les mamans détournent la tête. Seuls les enfants regardent. Regardent. Regardent.

Qu'est-ce qu'il attend pour se relever? Pourquoi le vainqueur revient-il, la queue entre les jambes? On croirait que le mort, c'est lui.

— Circulez! Il n'y a rien à voir, souffle celui qui ne peut pas être le papa de Maiy, sa bête encore tremblante entre les mains.

Péremptoires, les mamans redressent la nuque de leurs enfants, les forçant à regarder droit devant. Vers où...

« ... un pot joufflu, semblant tout droit sorti de l'eau. Vite, vite! allons voir ce qu'il contient. »

Aussitôt un crapaud s'en échappe. Verdâtre et dégoulinant. Partout il éclabousse, salissant tout ce qu'il touche. Comment le chasser sans froisser le potier qui l'a apporté? Patience, la nuit l'emportera, avec son pot, bon débarras!

– Ne t'inquiète pas, tout va s'arranger, répète maman d'une voix cassée.

Comment ? Que vont-ils devenir ? Inutile de le lui demander. Zolfe sait bien que le voyage est sans but, la destination inconnue – si tant est qu'on peut appeler voyage un exode à la pointe du fusil. Qui s'occupe de grand-maman ? Comment papa et grand-frère feront-ils pour les retrouver ? Où vont-ils dormir ce soir ? Pas la peine de le demander à maman. Zolfe sait bien qu'ils n'ont nul poisson où aller. « Nulle part, je veux dire… nulle part où aller. »

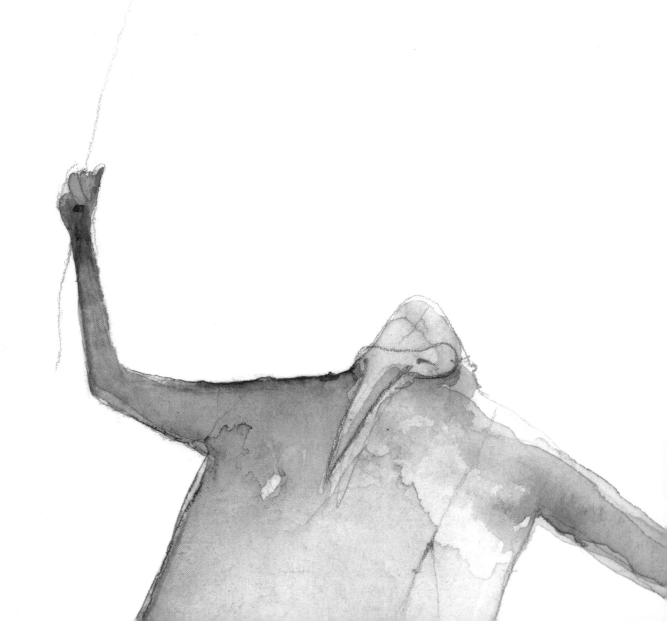

— … m'a tout l'air que ça va finir en queue de poisson, ton affaire !

L'homme qui l'interpelle rit dans son masque. Comme on crache ou quelque chose comme ça, qui tache.

— Ne réponds pas, supplie maman entre les dents.

Impossible de les retenir, des mots jaillissent en rangs serrés de la bouche de Zolfe :

— Vous n'avez pas le droit !

— Laisse-le dire, supplie maman.

— Qu'est-ce qu'on vous a fait ? poursuit Zolfe.

— Tu demanderas à ton grand-père.

— Il est mort à la guerre, bredouille-t-elle.

— « Il est mort à la guerre », elle est bonne, celle-là.

Il s'esclaffe. Comme on tombe.

Ne voilà-t-il pas le crapaud qui atterrit sur l'épaule de Lüll et lui réclame un baiser. Pouah ! fait Lüll qui le jette dans les flammes avec son pot. Non, non, non ! désolée, monsieur le potier. Je n'ai que faire de ce pot-là !

Gourds. Les bras de Zolfe se font de plus en plus gourds.
Elle soulève un genou, y appuie l'aquarium. Le temps
de se délier les bras, un à la fois. L'univers de Zolfe, qui
le tient dans ses bras ?

— Dépose-le au bord de la route, chuchote maman.
Il se trouvera bien quelqu'un pour s'en occuper.

— Qui ça, « quelqu'un » ?

L'univers de Zolfe, quelqu'un l'a-t-il abandonné
au bord de la route, à la merci du premier malvenu ?

Les voici sur le pont, par-dessous la jambe duquel coule la rivière. Mine de rien. Coquette avec ses barrettes de lumière, ses colliers de reflets autour des roches qui affleurent, comme autant de fragments de miroirs scintillant au passage.

La rivière d'où vient Émil. À moins que… Zolfe y renonce. Poisson ne survivrait pas à un tel plongeon. Il y a bien ce raidillon qui mène à la rive. Le dévaler comme une balle… Impensable. Le moindre soubresaut, le moindre faux pas pourrait lui être fatal. Quand on tient un monde dans ses bras, on se doit de marcher à pas lents, circonspects. Ça en prend pour marcher du pas de la proie quand d'aventure les bêtes sont lâchées! De quel pot pourri peuvent-elles bien sortir, celles-là? Quel est donc l'inconscient qui les a libérées? «Non, non, non! désolée, monsieur le potier. Je n'ai que faire de ce pot-là!»

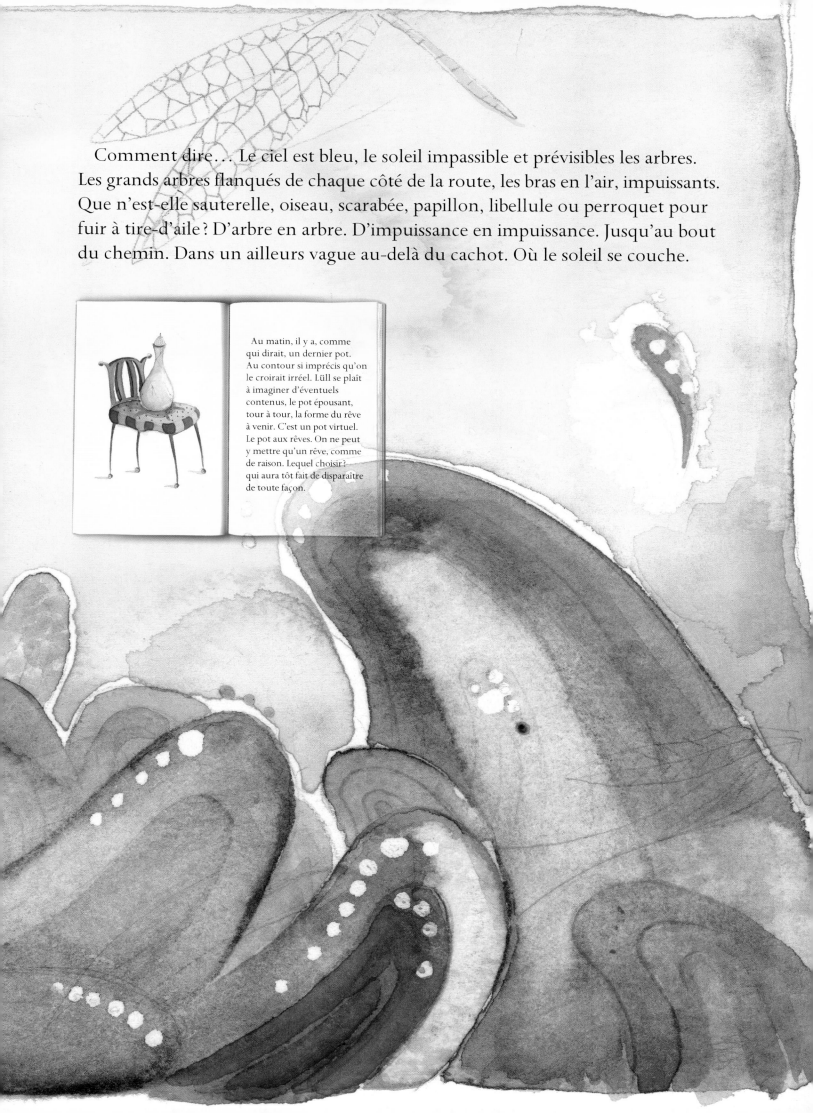

Comment dire… Le ciel est bleu, le soleil impassible et prévisibles les arbres. Les grands arbres flanqués de chaque côté de la route, les bras en l'air, impuissants. Que n'est-elle sauterelle, oiseau, scarabée, papillon, libellule ou perroquet pour fuir à tire-d'aile ? D'arbre en arbre. D'impuissance en impuissance. Jusqu'au bout du chemin. Dans un ailleurs vague au-delà du cachot. Où le soleil se couche.

Au matin, il y a, comme qui dirait, un dernier pot. Au contour si imprécis qu'on le croirait irréel. Lüll se plaît à imaginer d'éventuels contenus, le pot épousant, tour à tour, la forme du rêve à venir. C'est un pot virtuel. Le pot aux rêves. On ne peut y mettre qu'un rêve, comme de raison. Lequel choisir ? qui aura tôt fait de disparaître de toute façon.

Maiy! C'est bien Maiy que Zolfe entr'aperçoit derrière un arbre et puis un autre, se cachant. Zolfe voudrait courir à sa rencontre. Non! Non! font à l'unisson oiseau, coccinelle, scarabée, sauterelle, libellule, papillon et perroquet dans la chevelure de Maiy. Elle a si peur, elle tremble de tout son corps, Maiy. Chut! dit le doigt sur sa bouche. Elles se sont toujours comprises à demi-mot. Sans un mot même. Ce qu'elle comprend, Zolfe, c'est que son amie n'a pas la permission d'être là et risque à tout moment d'être découverte. Par l'un des hommes masqués, celui qui est bien le papa de Maiy.

«Comprendre», si tant est que le verbe comprendre convienne dans les circonstances. Aucun verbe ne convient. Il n'est question d'aucun état. D'aucune action. Surtout pas d'un devenir. De rien de ce genre. Mais d'un genre dont la compréhension est hors d'atteinte. D'une espèce de brume opaque. D'un grand pot au noir.

— Circulez!

«Là, dans la courbe», indique
d'un même mouvement
la faune sur la tête de Maiy.
À cet endroit précis où la
horde refoule et ralentit, les
voilà face à face. À un univers
l'une de l'autre. Un tout petit
univers qui tient entre les
bras. Tout petit univers qui
change de mains si facilement.
C'est le regard qui s'échappe.
Il ne tient pas dans les yeux,

le regard. Il fuit. Béant
d'une seule question,
les autres étant devenues
désuètes : qu'adviendra-t-il
d'Émil ? Maiy pourra-t-elle
le garder à la maison ?
Devra-t-elle le rendre à
la rivière ? Maiy fera pour
le mieux. Zolfe peut se fier
à elle. Une seule question
demeure, qui grandit,
s'agrandit : Pourquoi ?

— Circulez!
Faute d'avoir un grand pot de secours
dans lequel se cacher ensemble, toutes deux,
se retenant à la bouche de l'autre, courent
en silence jusqu'à la fin de l'histoire.

Au matin suivant, le pot
a disparu, bien entendu.
Le champ est libre. Alors Lüll
dessine autour d'elle un pot
assez grand pour la contenir
tout entière : « Quand je serai
grande, je serai potière. »

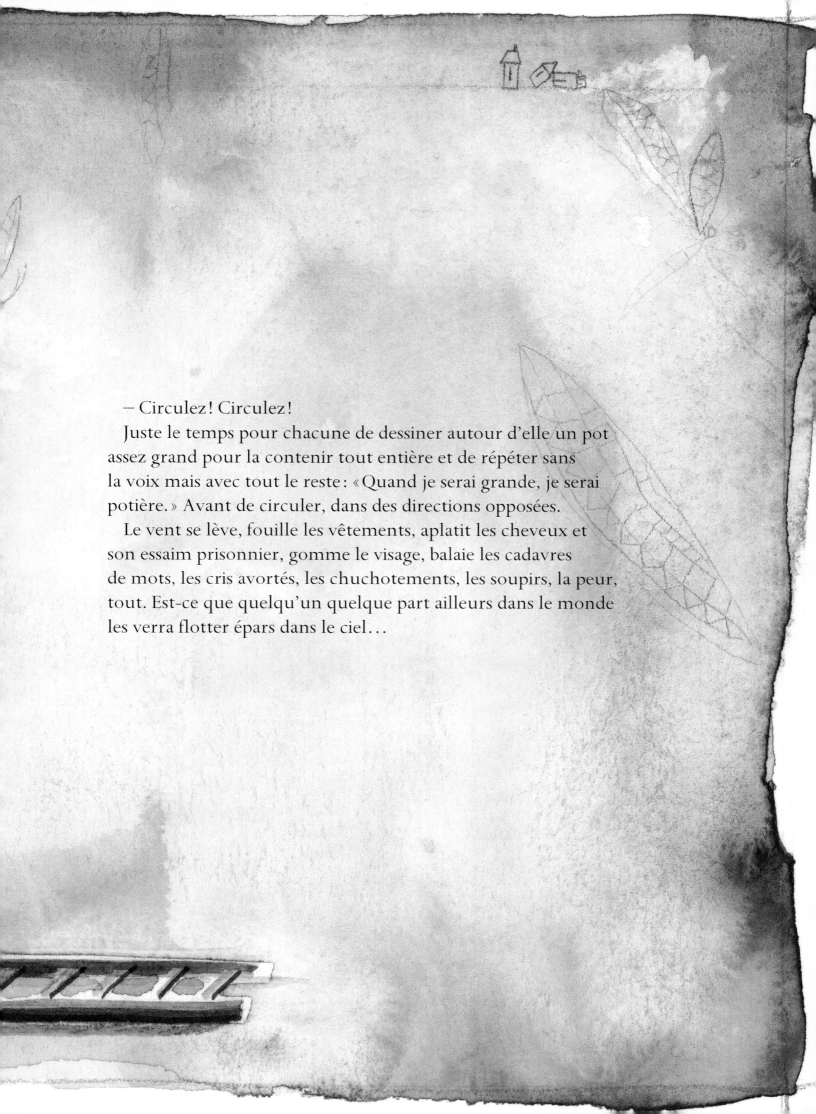

– Circulez! Circulez!

Juste le temps pour chacune de dessiner autour d'elle un pot assez grand pour la contenir tout entière et de répéter sans la voix mais avec tout le reste : « Quand je serai grande, je serai potière. » Avant de circuler, dans des directions opposées.

Le vent se lève, fouille les vêtements, aplatit les cheveux et son essaim prisonnier, gomme le visage, balaie les cadavres de mots, les cris avortés, les chuchotements, les soupirs, la peur, tout. Est-ce que quelqu'un quelque part ailleurs dans le monde les verra flotter épars dans le ciel…

Nous remercions le Conseil des
Arts du Canada de l'aide accordée
à notre programme de publication
et la SODEC pour son appui
financier en vertu du Programme
d'aide aux entreprises du livre
et de l'édition spécialisée.

Nous reconnaissons l'aide financière
du gouvernement du Canada par
l'entremise du programme d'aide
au développement de l'industrie
de l'édition (PADIÉ) pour nos
activités d'édition.

Nul poisson où aller
a été publié sous la direction de
Christiane Duchesne.

Design graphique : Andrée Lauzon
Révision : Josée Chapdelaine
et Gilles McMillan
Correction : Anne-Marie Théorêt

Diffusion au Canada
Diffusion Dimedia inc.
539, boulevard Lebeau
Ville Saint-Laurent (Québec)
H4N 1S2

Diffusion en Europe
Le Seuil

© 2003 Marie-Francine Hébert,
Janice Nadeau et les éditions
Les 400 coups
Montréal (Québec)

Dépôt légal – 4e trimestre 2003
Bibliothèque nationale du Québec
Bibliothèque nationale du Canada

ISBN 2-89540-117-9

Loi 49-956 du 16 juillet 1949 sur
les publications destinées à la jeunesse.